The Matt the Rat Series / La Serie d

Practice Makes Perfect
La Práctica Hace al Maestro

by/por Lorenzo Liberto

illustrated by/ilustrado por Irving Torres

translator/traductora Rocío Gómez

ISBN: 0-9743668-2-X

Manufactured in the United States of America

Library of Congress Cataloging-in-Publication Data

Liberto, Lorenzo.
Practice makes perfect / by Lorenzo Liberto ; illustrated by Irving Torres ; translator, Rocío Gómez = La práctica hace al maestro / por Lorenzo Liberto ; ilustrado por Irving Torres ; traductora, Rocío Gómez. -- 1st ed.
p. cm. -- (The Matt the Rat series = La serie de Ratón Mateo)
Summary: Matt and Maggie's friend Fergo the gopher wants to be a circus juggler so much that he never stops practicing, and he finally gets a chance to demonstrate what he can do.
ISBN 0-9743668-2-X (library reinforced hardcover : alk. paper)
[1. Juggling--Fiction. 2. Circus--Fiction. 3. Determination (Personality trait)--Fiction. 4. Rats--Fiction. 5. Gophers--Fiction. 6. Spanish language materials--Bilingual.] I. Torres, Irving, ill. II. Gómez, Rocío. III. Title. IV. Title: Práctica hace al maestro. V. Series: Liberto, Lorenzo. Matt the Rat series.
PZ73.L4885 2004
[E]--dc22

2004014045

INTRODUCTION

Do you play a favorite sport or musical instrument that you have often wished to play better? Maybe you are like Matt and want to be a famous soccer player, or perhaps you are more like Maggie and want to be a concert violinist. Whether you wish to be a better reader or math student in school, or even a circus performer like Fergo the gopher, you are about to discover the secret to making your dream come true. Fergo will show you how to make your dream come true, but when Fergo is finished the rest is up to you.

INTRODUCCIÓN

¿Quieres mejorar en tu deporte favorito o en tu instrumento musical? Quizás eres como Mateo y quieres ser un futbolista famoso, o tal vez eres más como Maggie y quieres ser una violinista concertista. Ya sea que quieras ser mejor estudiante de lectura o matemática, o hasta un artista de circo como Fergo el topo, vas a descubrir el secreto para realizar tu sueño. Fergo va a enseñarte cómo realizar tu sueño, pero cuando Fergo termine, lo demás dependerá en ti.

ACKNOWLEDGEMENTS

Inspired by my daughter Alma Liberto.
And special thanks to Paige Leehmuis,
Francisco and Adelina Almanza, Dorismel Díaz-Pérez,
Ana Delgado, Juan Carlos Medina, and Rafael Gomez.

One summer evening, Matt and his sister Maggie invited their favorite friend Fergo the gopher for a sleepover. Matt, Maggie, and Fergo began sharing their dreams about what they wanted to be. Fergo's dream was always about being a famous juggler in the circus. "Mom says that with lots of practice we can all make our dreams come true," Maggie said to Fergo.

Una noche de verano, Mateo y su hermana Maggie invitaron a su amigo favorito Fergo el topo a pasar la noche con ellos. Mateo, Maggie, y Fergo empezaron a compartir sus sueños sobre lo que querían ser. El sueño de Fergo siempre era ser un malabarista famoso en el circo. "Mamá dice que con mucha práctica cualquier persona puede hacer sus sueños realidad," Maggie le dijo a Fergo.

5

Fergo had tried to juggle before, but it was not easy. A juggler must keep many objects moving through the air, catching and tossing without dropping anything. Fergo needed to practice tossing and catching, so at breakfast the next morning he began by juggling oranges and eggs. Practice, practice, Fergo knew, would make his circus dream come true!

Fergo había intentado hacer malabarismos antes, pero no era fácil. Un malabarista tiene que mantener muchos objetos en el aire, agarrando y aventando sin dejar caer nada. Fergo necesitaba practicar aventando y agarrando objetos, entonces durante el desayuno la siguiente mañana, empezó a hacer malabarismos con naranjas y huevos. ¡Con práctica, práctica, Fergo sabía que su sueño de circo se realizaría!

Everywhere Matt and Maggie went, Fergo was practicing and practicing. When they washed Mom's car, he was practicing. When they went to the market, he was practicing. When they went to the ice cream shop, he was practicing. When they went to the swimming pool, he was practicing. Practice, practice, Fergo knew, would make his circus dream come true!

Fergo iba por todos lados con Mateo y Maggie, practicando y practicando. Cuando lavaron el carro de Mamá, él se puso a practicar. Cuando fueron al mercado, él se puso a practicar. Cuando fueron a la heladería, él se puso a practicar. Cuando fueron a la piscina, él se puso a practicar. ¡Con práctica, práctica, Fergo sabía que su sueño de circo se realizaría!

While Matt and Maggie played checkers one afternoon, they saw that Fergo was still practicing and practicing.

Matt whispered to Maggie, “Does he ever get tired of practicing?”

“I guess not,” she said. “His circus dream must really be important to him.”

Practice, practice, Fergo knew, would make his circus dream come true!

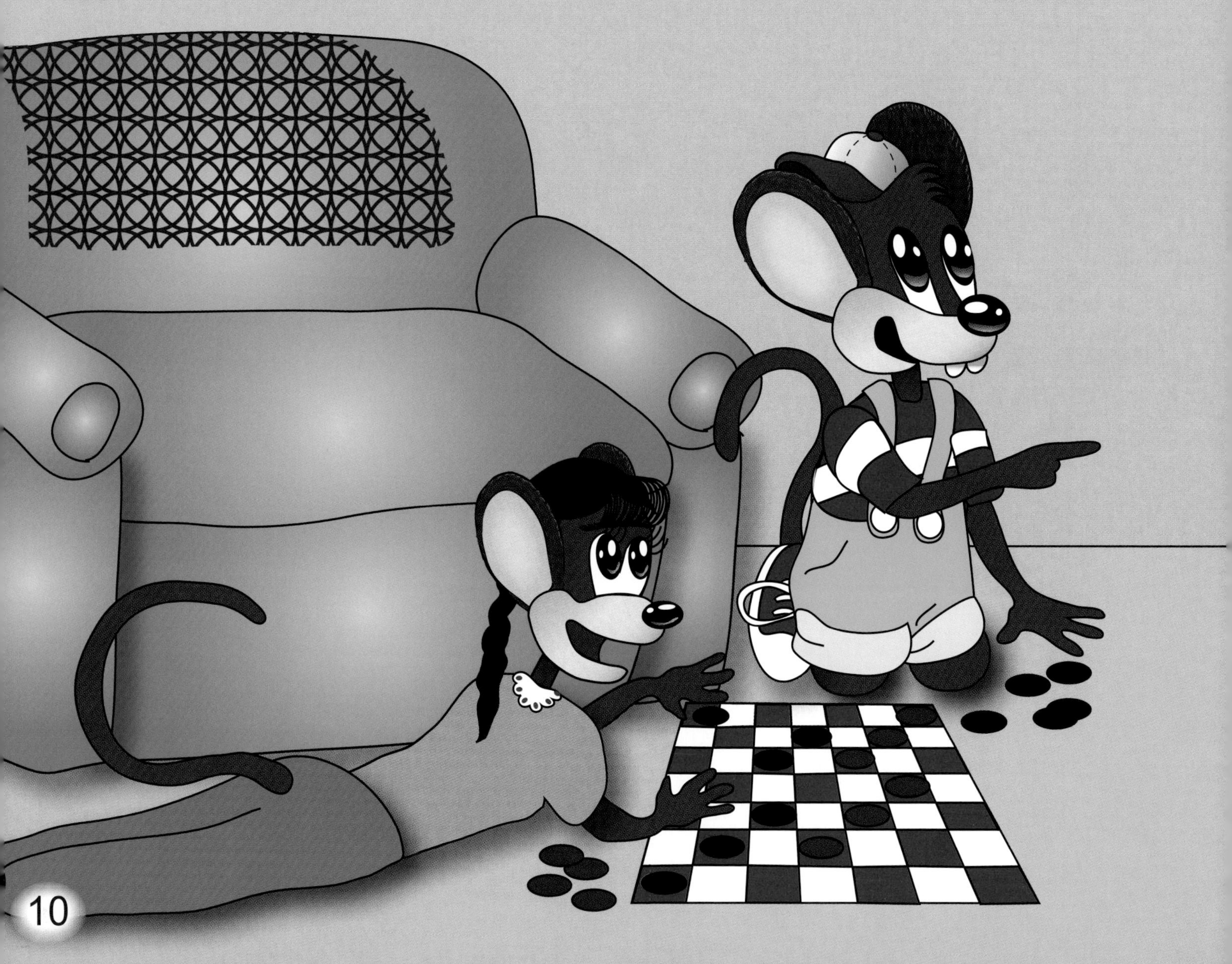

Mientras que Mateo y Maggie jugaban un juego de damas una tarde, vieron que Fergo todavía estaba practicando y practicando.

Mateo le dijo a Maggie en voz baja, “¿No se cansa de practicar?”

“Supongo que no,” dijo ella. “Su sueño de circo debe de ser muy importante para él.”

¡Con práctica, práctica, Fergo sabía que su sueño de circo se realizaría!

Matt, Maggie, and Fergo were riding their bikes a few days later when they met a circus clown handing out flyers. “The circus is coming to town!” Matt said.

“We can go see our Uncle Diego, the circus ringmaster,” Maggie said.

They rushed home to tell Mom, but she already knew. Mom was smiling and holding three circus tickets.

“Fergo, it looks like you’re going to the circus with us,” Matt said.

Fergo could hardly believe it! He had never been to a circus before, except in his dreams.

Mateo, Maggie, y Fergo estaban paseándose en sus bicicletas unos días después cuando vieron un payaso repartiendo anuncios del circo. “¡El circo viene a la ciudad!” dijo Mateo.

“Podemos ir a ver a nuestro Tío Diego, el maestro de ceremonias del circo,” dijo Maggie.

Corrieron a su casa para decirle a Mamá, pero ella ya lo sabía. Mamá estaba sonriendo y les mostró tres boletos para el circo.

“Fergo, parece que vas al circo con nosotros,” dijo Mateo.

¡Fergo no lo podía creer! Él nunca había ido a un circo antes, solamente en sus sueños.

A day before the show, Uncle Diego invited Matt and Maggie to see how everyone prepares for the circus. Strong men pulled on ropes to lift up the tent. The elephants were taking their baths. Trainers practiced tricks with the animals.

"Wow, I didn't know there was so much work to do before the show," Maggie said. "Hey, where's Fergo going?"

El día antes del espectáculo, Tío Diego invitó a Mateo y Maggie a ver cómo todo mundo se preparaba para el circo. Los hombres fuertes jalaban sogas para levantar la carpa. Los elefantes se estaban bañando. Los amaestradores practicaban trucos con los animales.

"¡Caramba!, no sabía que había tanto trabajo antes de la presentación," dijo Maggie. "Oigan, ¿adónde va Fergo?"

Matt, Maggie, and Uncle Diego followed Fergo, who was fascinated by two clown jugglers who were practicing. “Why are they practicing, if they already know how to juggle?” Matt asked Uncle Diego.

“They practice so they can become even better,” Uncle Diego said.

Fergo was amazed by their juggling skills, and suddenly he decided to practice, too.

“Fergo is getting much better,” Maggie said.

Practice, practice, Fergo knew, would make his circus dream come true!

Mateo, Maggie, y Tío Diego siguieron a Fergo, quien estaba fascinado por dos payasos malabaristas practicando. "¿Por qué están practicando, si ya saben hacer malabarismos?" Mateo le preguntó a Tío Diego.

"Ellos practican para poder ser aun mejores," dijo Tío Diego.

Fergo estaba asombrado por las habilidades de ellos en hacer malabarismos, y de repente, él decidió practicar también.

"Fergo está mejorando," dijo Maggie.

¡Con práctica, práctica, Fergo sabía que su sueño de circo se realizaría!

The big day arrived, and hundreds of people were walking around the circus grounds. They were buying huge swirls of cotton candy, large bags of buttered popcorn, and rainbow snow cones. “There’s so much to see!” Matt said.

El día esperado llegó, y cientos de personas caminaban por los terrenos del circo. Estaban comprando bolas de algodón de azúcar, bolsas de palomitas de maíz con mantequilla, y conos de hielo dulce raspado con colores del arco iris. “¡Hay tanto que ver!” dijo Mateo.

Inside the circus tent, Matt, Maggie, and Fergo found they were surrounded by a large crowd.

"Where's Fergo?" Maggie asked. "One minute he was here, and now he's gone."

"I don't know where he is," Matt said, "but he can't miss his big chance to see the circus."

Matt and Maggie pushed through the crowd, yelling, "Fergo!"

Dentro de la carpa grande, Mateo, Maggie, y Fergo se fijaron que estaban rodeados por mucha gente.

"¿Dónde está Fergo?" preguntó Maggie. "Hace un momento estaba aquí, y ahora ya no está."

"No sé donde está," dijo Mateo, "pero no puede perderse esta oportunidad de ver el circo."

Mateo y Maggie pasaron por el gentío, gritando, "¡Fergo!"

Fergo had wandered off to the circus dressing room. He saw a clown costume and tried it on for fun.

"Where have you been?" a juggler said and grabbed him by the hand. "Did you fall asleep again? We're on next. It's time to juggle!"

Fergo wondered what was happening. How did they know he could juggle? Was his dream coming true?

Fergo había caminado hacia el camerino. Vio un disfraz de payaso y se lo puso para divertirse.

"¿Dónde has estado?" dijo un malabarista y lo agarró de la mano. "¿Te dormiste otra vez? Ya nos toca. ¡Es tiempo para hacer malabarismos!"

Fergo se preguntaba qué estaba pasando. ¿Cómo sabían que él podía hacer malabarismos? ¿Se estaba haciendo una realidad su sueño?

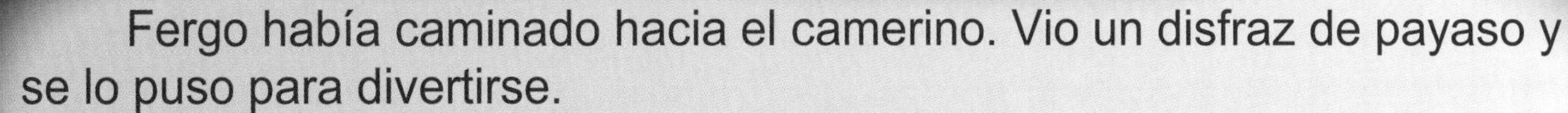

When Matt and Maggie heard laughter and loud clapping, they rushed to their seats. Maggie looked through her binoculars and said, “I found Fergo!”

Fergo was juggling perfectly. He smiled and wished the moment would never end. Practice, practice, Fergo knew, had made his circus dream come true.

Cuando Mateo y Maggie oyeron risas y fuertes aplausos, corrieron a sus asientos. Maggie miró a través de sus binoculares y dijo, “¡Ya encontré a Fergo!”

Fergo estaba haciendo malabarismos perfectamente. Sonrió y deseó que el momento nunca se acabara. ¡Fergo sabía que con práctica su sueño se había realizado ese día!

When the juggling act was finished, Matt and Maggie ran to congratulate Fergo. In the dressing room, Fergo took off the costume and put it back.

Maggie noticed a sleeping clown juggler in the back of the room and said, “I hope he doesn’t miss his turn.”

They returned to their seats in time to see Uncle Diego’s magic show.

Cuando la presentación de malabaristas terminó, Mateo y Maggie corrieron a felicitar a Fergo. En el camerino, Fergo se quitó el disfraz y lo regresó a su lugar.

Maggie se fijó en un payaso malabarista durmiendo al fondo del cuarto y dijo, "Espero que no falte a su presentación."

Regresaron a sus asientos a tiempo para ver la presentación de magia de Tío Diego.

When the circus was over, Uncle Diego asked Matt, Maggie, and Fergo if they had enjoyed the show.

"It was the best circus show ever!" Matt said.

"And did you know you had a mysterious juggler tonight?" Maggie said.

"Really?" Uncle Diego was surprised. "He must have been very good to juggle just like the circus performers. I wonder how he learned to juggle."

"By practicing and practicing!" Matt and Maggie said.

"If you see him, tell him I could use another juggler in my circus."

Matt, Maggie, and Fergo smiled and kept their secret. Everyone hugged Uncle Diego and said goodbye.

Cuando el circo terminó, Tío Diego les preguntó a Mateo, Maggie, y Fergo si habían disfrutado el circo.

“¡Ha sido el mejor circo que jamás he visto!” dijo Mateo.

“¿Y sabía que tuvo un malabarista misterioso esta noche?” dijo Maggie.

“¿De verdad?” Tío Diego estaba sorprendido. “Debe de haber sido un buen malabarista. Me pregunto cómo aprendió a hacer malabarismos.”

“¡Practicando y practicando!” dijeron Mateo y Maggie.

“Si lo ven, díganle que necesito otro malabarista en mi circo.”

Mateo, Maggie, y Fergo sonrieron y guardaron su secreto. Todo mundo abrazó a Tío Diego y se despidieron.

Matt and Maggie learned an important lesson from watching Fergo practice. The next day they both decided to make their own dreams come true. Matt practiced with his soccer ball, and Maggie practiced playing her violin. Mom walked into the room and asked, “Why are you all suddenly practicing?”

Matt and Maggie smiled and said, ***“So we can make our dreams come true!”***

Mateo y Maggie aprendieron una lección muy importante viendo a Fergo practicar. El siguiente día ellos decidieron hacer sus propios sueños realidad. Mateo practicó con su pelota de fútbol, y Maggie practicó su violín. Mamá entró al cuarto y preguntó, "¿Por qué de pronto están practicando?"

Mateo y Maggie sonrieron y dijeron, ***"¡Para hacer que nuestros sueños se hagan realidad!"***

Glossary* / Glosario*

Páginas / Pages 4 & 5

summer: verano
to sleep over: pasar la noche
gopher: topo
soccer: fútbol
violin: violín
dreams: sueños

Páginas / Pages 6 & 7

to juggle: hacer malabarismos
to catch: agarrar
to toss: aventar
to drop: dejar caer
oranges: naranjas
eggs: huevos
breakfast: desayuno

Páginas / Pages 8 & 9

car: auto o coche
sponge: esponja
market: mercado
ice cream shop: heladería
swimming pool: piscina

Páginas / Pages 10 & 11

checkers: juego de damas
game: juego
books: libros
bookcase: estante

Páginas / Pages 12 & 13

bicycle: bicicleta
clown: payaso
flyer: anuncio o folleto
ticket: boleto

Páginas / Pages 14 & 15

uncle: tío
circus: circo
ropes: sogas
tent: carpa
elephants: elefantes
monkeys: changos o monos
trainers: amaestradores

Páginas / Pages 16 & 17

jugglers: malabaristas
bowling pins: bolos

Páginas / Pages 18 & 19

popcorn: palomitas
ballons: globos
flags: banderas
horses: caballos
snow cone: cono de hielo dulce raspado
rainbow: arco iris

Páginas / Pages 20 & 21

crowd: mucha gente o gentío
lost: perdido o perdida
to yell: gritar

Páginas / Pages 22 & 23

dressing room: camerino
costume: disfraz
hay or straw: heno o paja

Páginas / Pages 24 & 25

to clap: aplaudir
applause: aplauso
audience: público
binoculars: binoculares

Páginas / Pages 26 & 27

to congratulate: felicitar
magic show: presentación de magia

Páginas / Pages 28 & 29

mysterious: misterioso
secret: secreto
litter or trash: basura
to sweep: barrer

Páginas / Pages 30 & 31

lesson: lección
to play: jugar

* Find and match the words and phrases in the glossary with what is in the story and illustrations.

* Busca las palabras y frases en el glosario que corresponden al cuento y a las ilustraciones.